© Texto: Eva Rodríguez Juanes.
© Ilustraciones: Beatriz Dapena Testa y Braulio Alejandro Meléndez Pérez.

© Ediciones Jaguar, 2014
www.edicionesjaguar.com
jaguar@edicionesjaguar.com

ISBN: 978-84-15116-80-6
Depósito Legal: M-4727-2013

Eva Rodríguez Juanes

Mi papá es el mejor

Ilustraciones: Beatriz Dapena y Álex Meléndez.

GIROL SPANISH BOOKS
P.O. Box 5473 LCD Merivale
Ottawa, ON K2C 3M1
T/F 613-233-9044 www.girol.com

Hola, mi nombre es Mateo

y mi papá es el mejor,

¡Ahora verás
que tengo razón!

Los fines de semana me lleva al teatro
o también viendo pelis pasamos el rato.
Las de superhéroes molan un montón
yo digo que soy Batman y él Superratón.

Papá Diversión

Algunos días de otoño papá está muy ocupado,
aparece por las noches con cara de cansado.
Pero yo sé que antes de ir a dormir
con un cuento de animales me hará reír.
Más descansado está el fin de semana
y lo hace de mejor gana.

Papá Cansado

Los domingos vamos todos a pedalear
por el parque a gran velocidad,
yo de lejos le veo pasar, sin duda *mi papá*
es el más rápido de toda la ciudad.
No paro de entrenar,
en nada no le dejaré escapar.

Papá Sobre Ruedas

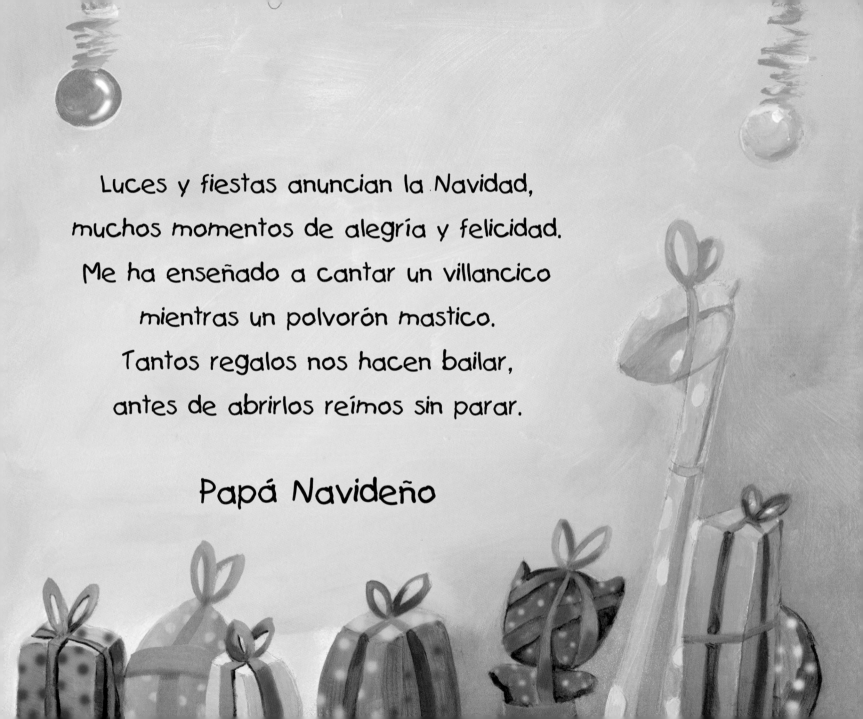

Luces y fiestas anuncian la Navidad,
muchos momentos de alegría y felicidad.
Me ha enseñado a cantar un villancico
mientras un polvorón mastico.
Tantos regalos nos hacen bailar,
antes de abrirlos reímos sin parar.

Papá Navideño

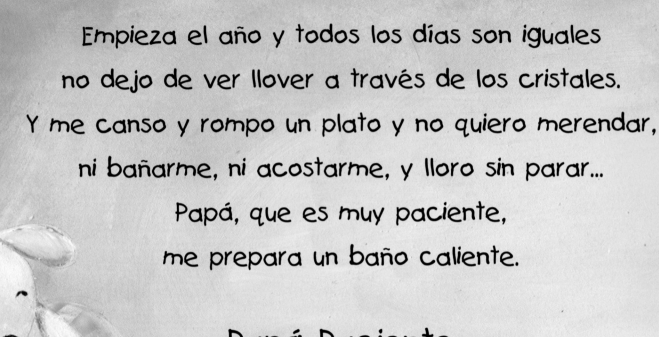

Empieza el año y todos los días son iguales
no dejo de ver llover a través de los cristales.
Y me canso y rompo un plato y no quiero merendar,
ni bañarme, ni acostarme, y lloro sin parar...
Papá, que es muy paciente,
me prepara un baño caliente.

Papá Paciente

¿Os he dicho que mi papá es un gran cocinero?

Con un poco de pollo él hace un puchero.

Vaya, vaya, hemos descubierto que hay una espía...

parece que mamá de papá poco se fía...

La cocina está hecha un lío, menudo escalofrío.

Papá Cocinero

Con las primeras flores empiezan los buenos olores.

Papá dice que hoy es su día, pues no se nace todos los días.

¡Feliz cumpleaños! y con la tarta le damos una carta.

Parece muy emocionado, menudo sorpresón le hemos dado.

Papá Cumpleañero

Mi papá cuando puede me ayuda con los deberes,

te lo digo para que te enteres.

Es muy listo y ordenado y hace los mejores cuadrados.

Me ayuda a sumar, restar y multiplicar y nunca la mano le vi usar.

Si no piensas que mi papá es inteligente,

es que no tienes dos dedos de frente.

Papá Profesor

El curso está a punto de acabar
y un teatrillo vamos a preparar;
a mí me toca ser un león, pero no uno del montón.
Me ayuda a preparar el disfraz, él es de lo más eficaz.
Veo a papá aplaudir, y todavía no me ha visto salir.

Papá Comprometido

Por fin de vacaciones y nos vamos al mar,

no pienso en otra cosa que en pescar un calamar.

Papá lee bajo la sombrilla y nosotros saltamos olas en la orilla.

Después nos ayuda a construir un castillo

con la pala y un rastrillo.

Papá Veraneo

Da besos y abrazos fuertes,
de los que no dejan indiferente.
Si después de esto te queda alguna duda,
está claro que necesitas ayuda.

Porque mi papá es maravilloso,
para mí EL MEJOR.